Bibliothèque publique d'union
de St-Isidore & Plantagenet Sud
9B, rue de l'École
St-Isidore (Ontario) K0C 2B0

JUL 1 8 1996

A

ı

, S

FE

J

।

DISCARD / ELIMINÉ

D1416508

Le chiffre dix

Texte de Jane Belk Moncure
Adaptation française de Chrystiane Harnois
Illustrations de Linda Hohag et Dan Spoden

THE CHILD'S WORLD

VERSION FRANÇAISE © 1994 THE CHILD'S WORLD, INC.
Version originale anglaise © 1985 The Child's World, Inc.
Distribué au Canada par Grolier Limitée. Tous droits réservés.
Aucune partie de cet ouvrage ne peut être reproduite
sans l'autorisation écrite des éditeurs.
ISBN 0-7172-3099-6
Dépôt légal 4e trimestre 1994
Bibliothèque nationale du Québec
Imprimé aux États-Unis

Le chiffre dix

Voici Petite **dix**

Petite  dix vit dans la maison du dix.

La maison a dix pièces. Compte-les.

Chaque jour, Petite  **dix** part en promenade.

Un jour, elle va voir dans sa boîte aux lettres.
Elle trouve une lettre.

6

Petite Dix lit,

Le 10 janvier
Chère amie,
Je t'ai envoyé
dix surprises pour
ton anniversaire!
Meilleurs voeux,
D'un ami spécial

LIVRAISON
SPÉCIALE

Un camion arrive à
l'instant. Devine ce
qu'il transporte?

Petite  **dix** reçoit une grosse boîte bien emballée.

Dans la boîte, il y a dix poupées.

«Quel merveilleux cadeau!» dit Petite dix

Petite  **dix** emmène ses poupées faire une promenade...

en chariot,

mais trois poupées tombent! Combien en
reste-t-il dans le chariot? Compte-les.

Petite  dix emmène ses poupées faire une promenade...

en luge,

mais cinq poupées tombent.
Combien en reste-t-il sur la luge?

Petite  emmène ses poupées à la maison et les met dans...

un grand parc pour enfants.

Y en a-t-il qui tombent?

Petite dix s'amuse avec ses poupées, surtout lors des jours de fête.

À la Saint-Valentin, Petite  confectionne un cœur pour chacune d'elles.

Elle fait d'abord six cœurs.

Combien d'autres cœurs lui faut-il?

À la Saint-Patrick, elle fait des trèfles verts
pour décorer le chapeau de ses poupées.

Elle en peinture cinq.
Il lui manque combien de trèfles?

Comme les poupées sont jolies lors
du défilé de la Saint-Patrick!

Compte-les par multiple de deux.

À Pâques, Petite  dix fait un panier de
Pâques pour chaque poupée.

Elle en a
terminés huit.

Combien d'autres paniers doit-elle faire?

Puis elle cache des œufs de Pâques pour ses poupées. Combien en a-t-elle cachés?

À la fête Nationale, Petite  dix prépare
un pique-nique pour ses poupées.

Elle fait cinq gros sandwiches.

Lorsqu'elle les coupe en deux, combien de
moitiés de sandwiches a-t-elle pour ses
poupées?

  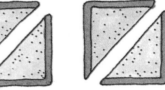 

Compte-les.

Elle coupe ensuite cinq grosses pommes en deux. A-t-elle dix morceaux? Compte-les.

Le soir de l'Halloween, Petite  prépare un masque rigolo pour chaque poupée.

Elle place les masques de deux poupées.

Combien de poupées n'ont pas encore leur masque?

Les dix poupées déguisées vont ensuite passer l'Halloween. Sept poupées entrent dans la maison du voisin. Combien restent à l'extérieur?

À l'occasion d'une fête, Petite  dix fait un tipi pour les poupées.

Elles jouent aux Indiens. Combien de poupées jouent à l'extérieur du tipi?

À Noël, Petite  suspend un bas pour chaque poupée.

Combien lui reste-t-il de bas à accrocher?

Combien de poupées aident Petite Dix à décorer l'arbre de Noël?

Où sont les sept autres?

Elles sont en train d'emballer un cadeau.
Devine pour qui?

Le matin de Noël, qui serre ses dix poupées très fort dans ses bras?

Additionnons avec Petite **dix**

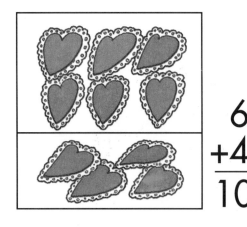

6
+4
10

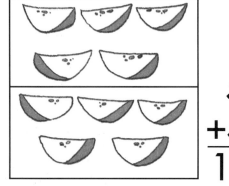

5
+5
10

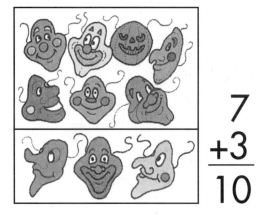

7
+3
10

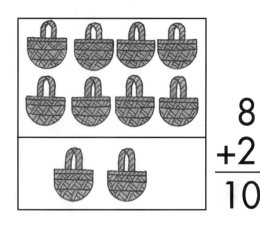

8
+2
10

Trouve d'autres façons d'additionner dix choses.

Maintenant, soustrayons avec Petite dix

$$\begin{array}{r} 10 \\ -3 \\ \hline 7 \end{array}$$

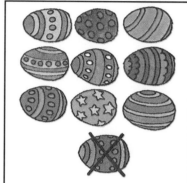

$$\begin{array}{r} 10 \\ -1 \\ \hline 9 \end{array}$$

$$\begin{array}{r} 10 \\ -8 \\ \hline 2 \end{array}$$

$$\begin{array}{r} 10 \\ -5 \\ \hline 5 \end{array}$$

Trouve d'autres façons de soustraire de dix.

31

«Regarde, je sais écrire», dit Petite

Elle fait le chiffre 10 de cette façon:

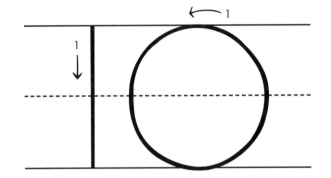

Elle écrit le chiffre en lettres comme ceci:

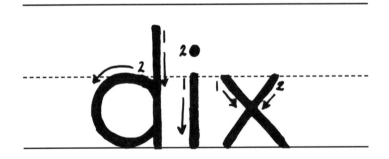

Tu peux les écrire dans l'air avec ton doigt.

Bibliothèque publique d'union
de St-Isidore & Plantagenet Sud
9B, rue de l'École
St-Isidore (Ontario) K0C 2B0